"Toda pessoa deveria ser **aplaudida** de pé pelo menos uma vez na vida, porque todos nós vencemos o **mundo**."

– R. J. Palacio

"Toda pessoa deveria ser **aplaudida** de pé pelo menos uma vez na vida, porque todos nós vencemos o **mundo**."

– R. J. Palacio

"Se *você* vier, por exemplo, às quatro horas da tarde, começarei a ficar *feliz* desde as três."

– Antoine de Saint Exupéry

"Se você vier, por exemplo, às quatro horas da tarde, começarei a ficar feliz desde as três."

- Antoine de Saint Exupéry

"Recria tua vida,
sempre, sempre.
Remove **pedras**
e planta roseiras
e faz doces.
Recomeça."

– Cora Coralina

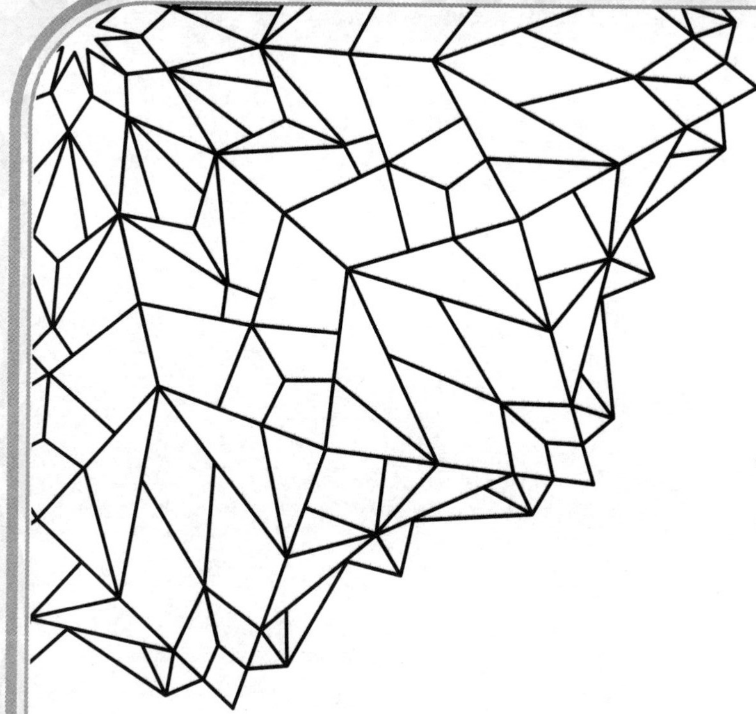

"Mudam-se os tempos, mudam-se as vontades, **muda-se** o ser, muda-se a confiança; todo o mundo é composto de mudança, tomando sempre novas **qualidades**."

– **Luís de Camões**

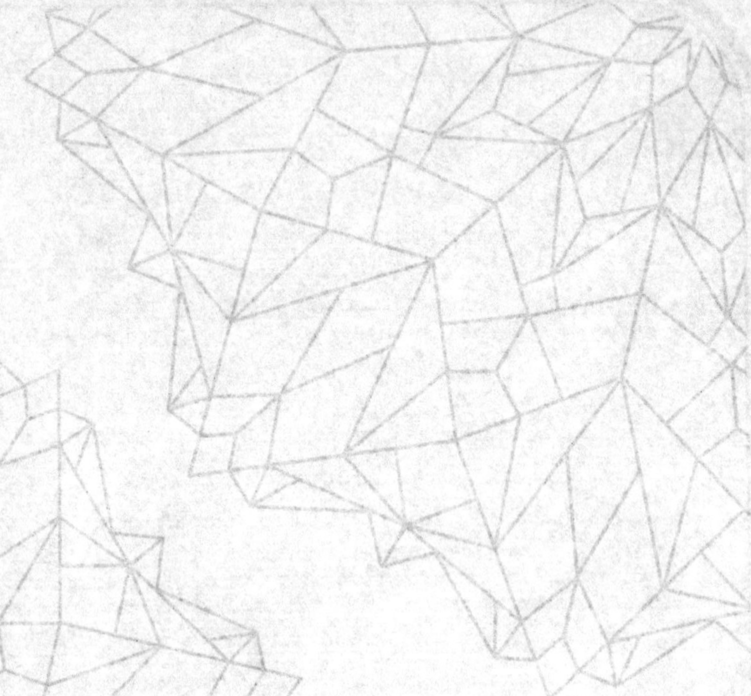

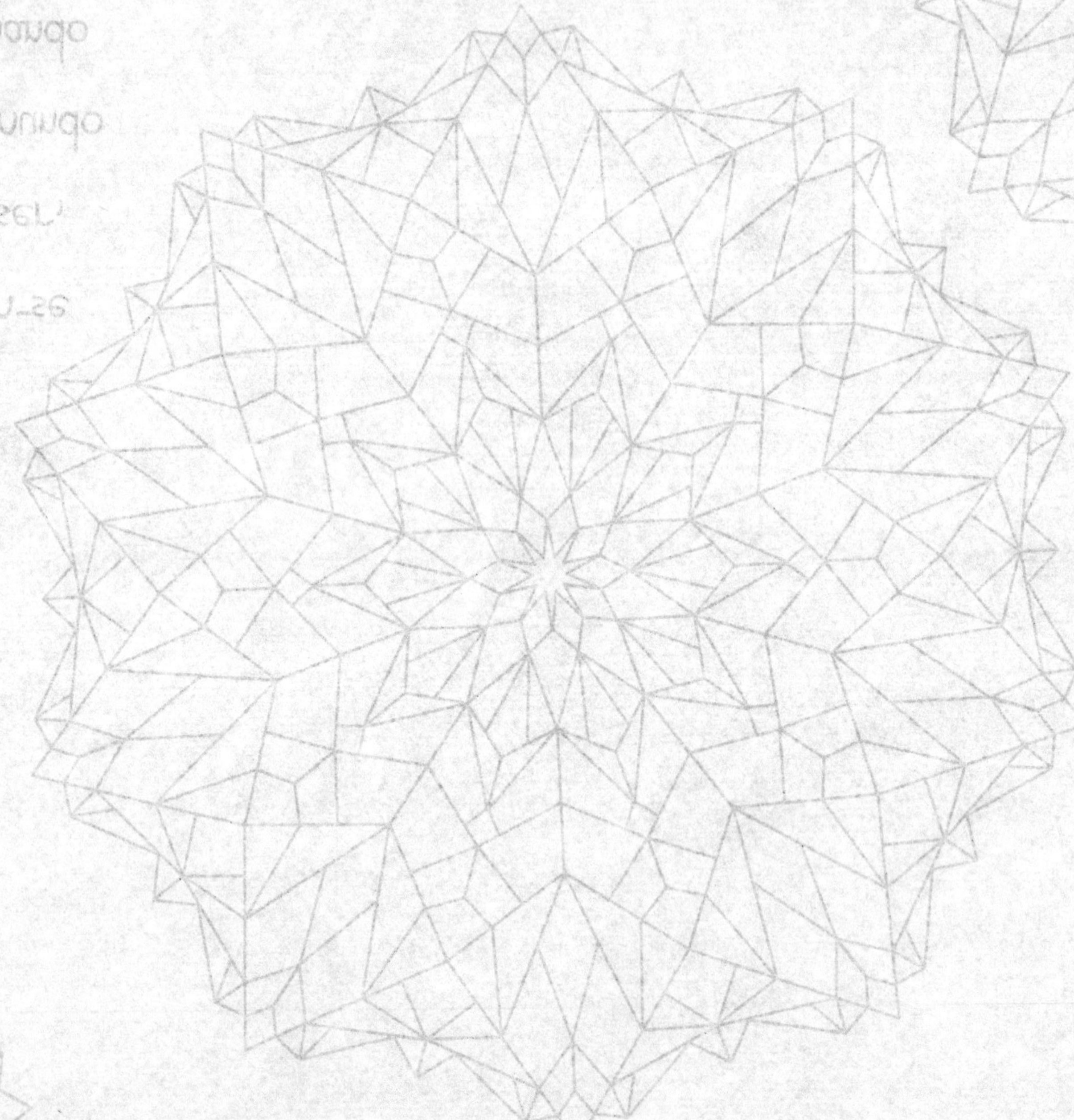

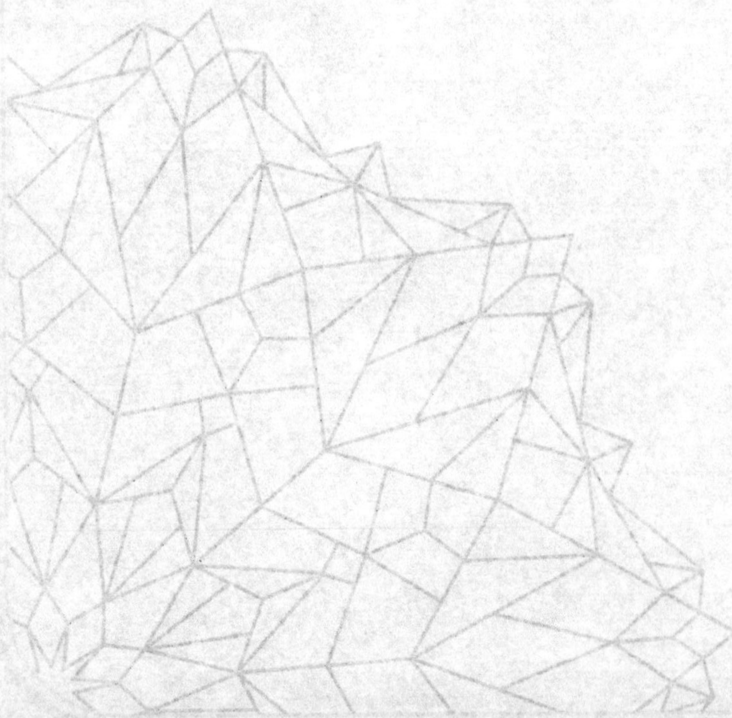

"A gratidão é a memória do coração."
– J. B. Massieu

Gratidão

Gratidão

"Não anda mais **rápido** aquele que vai apressado, mas o que **caminha** mais firme."

– Pepe Mujica

"Nunca se *esqueça*

de como *sonhar*."

– Madonna

"Nunca se esqueça

de como sonhar."

Madonna

"O instante é semente **viva.**"

– Clarice Lispector

Felicidade se acha é só em horinhas de descuido."

– Guimarães Rosa

Ilustração: Lovely Mandala/Shutterstock.com

"Se procurar bem, você acaba encontrando não a *explicação* (duvidosa) da vida, mas a *poesia* (inexplicável) da vida."

– Carlos Drummond de Andrade

Resiliência

Resiliência

"Tudo se pode vencer; o que é preciso é ser constante."
– Machado de Assis

"Quem anda no **trilho** é trem de ferro. Sou água que corre entre pedras - **liberdade** caça jeito."

– Manoel de Barros

"Quem anda no **trilho** é trem de ferro. Sou água que corre entre pedras - **liberdade** caça jeito."

- Manoel de Barros

"Se não há ***coragem***, que não se entre."

– Clarice Lispector

"Tudo bem **hesitar***, se depois você for em frente."*

– Bertold Brecht

"Tudo bem hesitar, se depois você for em frente."

- Bertold Brecht

"Os **problemas** nunca vão desaparecer, mesmo na mais bela existência. Problemas **existem** para serem resolvidos, e não para perturbar-nos."

– Augusto Cury

"Os problemas
nunca vão desaparecer,
mesmo na mais bela
existência. Problemas
existem para serem
resolvidos, e não para
perturbar-nos."

Augusto Cury

Reciprocidade

"O correr da *vida* embrulha tudo. A vida é assim: esquenta e esfria, aperta e daí afrouxa, sossega e depois desinquieta. O que ela quer da gente é *coragem*."

– Guimarães Rosa

"O correr da *vida*
embrulha tudo. A vida
é assim: esquenta e
esfria, aperta e daí
afrouxa, sossega e
depois desinquieta.
O que ela quer da
gente é *coragem*."

– Guimarães Rosa

"A vida é muito **curta** *para ser pequena."*

– Benjamin Disraeli

"Não é possível viver,
muito menos existir, sem
riscos. O fundamental é
nos prepararmos para saber
corrê-los bem."

– Paulo Freire

"Para onde quer que vás, leva teu *coração*."

– Confúcio

"Para onde quer que vás, leva teu coração."

\- Confúcio

"É preciso buscar
o **extraordinário**
no comum, buscar a
existência *na vida."*

– Jean-Luc Godard

"A ação é o fruto correto do **conhecimento.**"

– Thomas Fuller

"A ação é o
fruto correto do
conhecimento."
– Thomas Fuller